"POTE AND PENTER"

THE
DEEVIL'S
WALTZ

Sydney Goodsir Smith

Illustrations by
Denis Peploe

Nil nimium studeo Caesar tibi belle placere,
Nec scire utrum sis albus an ater homo.

Catullus.

WILLIAM MACLELLAN
1946

Acknowledgments for previous publication of some of these poems are due to THE FREE MAN, POETRY SCOTLAND, SCOTS INDEPENDENT, SCOTTISH ART & LETTERS, THE BELL (Dublin), SCOTTISH SIGNPOSTS, THE NEW ALLIANCE, SCOTS SOCIALIST, THE VOICE OF SCOTLAND, THE BRIARCLIFF QUARTERLY (U.S.A.), CONTEMPORARY POETRY (U.S.A.), OLIVER & BOYD LTD. (for two songs reprinted from " The Wanderer and Other Poems"), and to the B.B.C. (Scottish Chapbook).

Seventh Book in the
POETRY SCOTLAND SERIES
which also includes books by
Douglas Young
George Bruce
Ruthven Todd
W. S. Graham
Adam Drinan
Hugh MacDiarmid

In preparation
George Campbell Hay, Maurice Lindsay, William Jeffrey,
Robert Herring, J. F. Hendry, Alexander Gray and
Valentin Iremonger.

TO
MY MOTHER AND FATHER

Printed in Scotland by William MacLellan & Co., Ltd.,
240 Hope Street, Glasgow, C.2.

Bound by William St. Clair Wilson.

Photo-engravings by Scottish Studios.

Contents

III. MARS

" Mahoun gart cry ane dance."
DUNBAR

" There sat auld Nick, in shape o beast;
. . . To gie them music was his charge."
BURNS

" Lear : I'll talk a word with this same learned Theban :
What is your study?
Edgar : How to prevent the Fiend, and to kill vermin."
SHAKESPEARE

" Belzébuth, enragé, racle ses violons."
RIMBAUD

" Mais le damné repond toujours ' Je ne veux pas '."
BAUDELAIRE

Prolegomenon

The Deevil's Waltz

Rin an rout, rin an rout,
Mahoun gars us birl about,
He skirls his pipes, he stamps his heel
The globe spins wud in a haliket reel.

Thare, the statesman's silken cheats,
Here, the bairnless mither greits,
Thare, a tyrant turns the screw,
Here, two luvers' brokken vows.

Enemies oot, enemies in,
Truth a hure wi the pox gane blinn,
Nou luvers' lips deny luve's name
An get fur breid a chuckie-stane.

We kenna hert, we kenna heid,
The deevil's thirled baith quick an deid,
Jehovah snores, and Christ himsel
Lowps i the airms o Jezebel.

The sweit that rins frae his thornèd brou
Is black as the staunan teats o his cou,
I' the waltz o tears, an daith, an lies,
Juliet's fyled wi harlotries.

O luve itsel at Hornie's lauch
Skeers lik a caunel i the draucht,
The dance is on, the waltz o hell,
The wund frae its fleean skirts is snell.

It whups black storm frae lochan's calm,
Sets banshees i the hous o dwaum,
Gars black bluid spate the hert o me
—An watters Bygate's barley bree!

A few damned feckless fanatics
Yet try tae halt the dance o Styx,
Thrawn, throu the hellish orchestra
They yall wi Baudelaire " Je ne veux pas ! "

Orpheus alane dow sauve frae deid
His ravished Bride gin but she'd heed—
Ay, truth an luve lik Albyn's life
Hang wi a threid, kissed bi a knife.

9

Ilk derkenan owre some huddered toun
The pipes an fiddles screich an boom,
The cauldron's steered bi Maestro Nick
Wi a sanct's shin-bane for parritch-stick.

He lauchs his lauch, the angels greit
Wi joy as they dine on carrion meat ;
Ablow, bumbazed, dumfounered cods,
We seek the starns in dubs an bogs.

Oor ingyne's deaved, oor mous are shut,
Oor saul contract lik a runkled nut,
Een cannae see the trees for the wuid
An hert's gane dreich for want o bluid.

For want o luve we live on hate,
For want o hevin praise the State,
For want o richts we worship rules,
For want o gods the glibbest fules.

Obey, obey ; ye maunna spier !
(Libertie's disjaskit lear !)
While Cloutie pipes its crime tae think,
—Its taxed e'en higher nor the drink !

O rin an rout, we birl about,
Tae the rhythm o the Deil's jack-boot,
Black as auld gibbet-fruit, Mahoun
Bestrides a kenless mappamound.

HALLOWEEN, 1943

" C'est Vénus toute entière a sa proie attachée."

RACINE

" Lèd by a blind an teachit by a bairn."

MARK ALEXANDER BOYD.

I

Venus

REASOUN AN THE HERT

A Sang-Quair
wi John Guthrie's music

I. The Lane Hills

Lane as the hills
Ma saul the nou,
The gray wund's shrill
Wi the want o you.

Lane as a whaup
Wheeps on the muir
Ma hert's bell claps
In a fremmit touer.

Lang the day seems
Lang the nicht ere sleep
Gies me dreams
That near ye creep.

Lane lane I'm nou
And sae shall be
Till the slaw days draw me
Back tae ma loo.

II. Whan the Hert is Laich

Lamb, whan the hert is laich,
Lourd wi the haill warld's wecht,
A boulder's whare the hert shud be,
A muckle stane that burdens yee.

Ye sit lik a cairn o stane yersel,
The burds' blye sangs ye hear wi laith,
The sakless burn rins doun tae hell,
The aince-luved trees a choir o daith.

An whitna cause ye mayna tell
Nor casting reason bring release,
Ye sit lik a stane an watch the hills
That mock yir thrawan with their peace,

III. Reasoun an the Hert

Hert, ma hert, forgae
This dirlan o ma saul,
Ye steer ma deeps til a reel o flame
Lik a smashed coal.

O mensefu reason, speak
Abune the hert's wild sang !
For why can reason neer defeat
This hert for lang ?

My infant hert, forgae
This thrawan o the deeps !
Dispeace is aa the gift ye hae——
Gin the hert wald sleep !

IV. Whan the Hert is Licht

Ma drouth is gane an past the nicht,
  I'm duin wi jail the nou,
Ma hert's abune wi a laverock flicht,
  A blye burd daft wi luve.

Ma thochts are whiddan owre the hills,
  Ma een see nocht but you,
Ma luve dirls fou's a rairan gill
  An rife wi sang's ma mou.

Ma drouth is gane, the nicht is past,
  The prison waas are doun—!
A lowsit burd maun seek his nest
  And I ma ain white doo.

V. *Reasoun Speaks at How-Dumb-Deid*

" Hert's kennan is the price o pride,
Hert's flaughter is the faem's wud spiel "
—Thae lown strang words lik sleepless tides,
I ken, I ken them ower weel.

I ken! —— och, whan the hert is steght
An cauld is the bluid an the saul is freed ;
Then reason wi a glacier's wecht
Thunners i the how-dumb-deid.

I ken, I ken ; O wha can flee
White reason's icy richt ?,
O wha can flee, but wha can heed
Yee that speak i the saul's lang nicht ?

Sang : The Birks in November

O the birks o Aberfeldy greit the nou,
Their simmer hair aa kaimed awa
Liggs deep aroun their fit i Novemmer's blinnan stew
An whispers dowie sangs fornent a granite waa.

Thae waesum leaves o gowd an reid
Whit unco likeness hae
Tae thochts aye dirlan throu ma heid
That winna sleep an winna gae.

Alow the birks the Tay's aspate,
Her tummlan hert raxed ower strang,
The snell wunds lash Breadalbane brakes——
Ma saul's dung doun bi an auld dreid sang.

O Aberfeldy's birks are aamaist bare
Wan-screichan tragic speirans tae the rain ;
I ken twa michty armies bleed i the Russian hayr
——But oh ma hert's black drumlie sang were gane !

1941

Sang : *Recoll o Skaith*

Wersh an drumlie are the lees
Ma lips are suppan nou,
Wersh an wan the bitter bree
Bled frae the skaith o luve ;
O wald I'd flee the thochts that ding,
Thir nichts I mayna sleep,
But aye the gorgoulls gowl ahint
An roun ma hert they creep.

O wersh the lees that curl ma lips
An sick ma stoundit saul,
I ken douce reason bids me wheesht——
But, luve, the hert is cauld !
Yet throu the cauldrife dirl o skaith
That dings ma hert sae fell
There leams yir tyger glaumerie
I maun loo i the pit o hell.

Sang : *The Bed o Stane*

Whit gin I hae a bed o stane
A bourach at ma heid,
Whit gin ma drink's an orra bane
An gravel is ma breid ?

There's aye a black voice shairp an slee
Wull mind whaur ithers dwine,
O' desert sun an caul black seas
Tae mock this weird o mine.

Ay, black wee voice, deave aa ye may,
I ken yir ilka word,
Gin here is vast disparitie
It winna cheenge ma weird.

Whit gin I'd hae a bed o doun,
Goose-fethirs neath ma heid ?
Whit gin saft music hapt me roun,
Whit gin ma wine was reid ?

Aa turns til granite in ma mou,
Theres nane but corplichts at the feast,
Ma lauch's the fleeran hoot o dule
——Abies I sleep on thy white breist.

Skaith o whummlit luve is sterk,
Ye gar us flee til ither herts,
Desire in ither airms tae skail
Numb passion's duil—tho aye we fail
Ever turnan til oor puke
Ye be or beggar, bard or duke.

Sae Pushkin til his doxies, Rab til Mary ran,
Made Villon tine his faithless Kate
In Martha ; I a like fule man
Threw ma brangled luve in spate
Hert-stoundit in yir bairn-like hans.

Lown ye soothed my pain, black doo,
O aa the hert I had was yours,
O douce yir luve til a drucken loon
Earnan peace i the beds o hures——
Dear God, ye ken the deeps o ma luve !

Men sic as Villon are my kith
Or John d'Escosse he stravaiged with,
Rasch waifs an proud wi nocht tae gie——
An nocht but luve ye had frae me.

Black childe, ye catched a pride that fell
An weaned it sauf whan it was ill,
If eer ye looed a skalrag loon
Lowse aa his memory, coup it doun——
Een that I looed, forget this chiel !
You I canna. Bairn, fare weel.

Sang : *Tho It Droun Us Aa*

These days are dreich ; I've nocht but dreamt
O' a dawn i the Meadows a week sinsyne,
The lyft lik a trublie sea, an the glent
O' morn throu trees ——oh childe ! an yir een lik raivan wine!

Oh tragic childe, ma hert for thee
Is dirlan ower reithe tae dree ;
This luve's lik a michty wund maun blaw,
It cannae drap ——tho it droun us aa.

Dear childe, its ower lang I bide
For a sicht o your darklin schene,
My sang's the freith o a wuddrum tide,
The yernan spume frae a spate o dream.

The Fairy Man

The nicht is mirk
The hous is toom
O gowls the wund
Atour ma room.

The hous is deid
Daith's sib tae sleep
The rain dings doun
The nicht is deep.

" Come ben, ma dear
Wi the glentan ee,
Why shud I fear
Whit thou wald dae ? "

He's up the stair
But maks nae soun
He's in ma room——
An the wund dees doun !

He taks ma haun
An fell's his grin
The souch o his breith's
Lik a rairan lynn.

O cauld's ma hert
O mauch's ma brou
His oorie breith's
Upo me nou.

" G' awa, g'awa
Ma fairy man,
Ma hert is cauld
I wald ye'd gang ! "

But neer he'll gang
He's aye yir ain
Whan nichts are lang
An thochts are lane.

The Widdreme

(frae the Gaelic o Somhairle MacLean)

Ae nicht o thae twa year
Whan I thoght ma luve
Was strak wi a skaith as dure
As wumman's had sen Eve,
We ware thegither in a dwaum
By the stane dyke that stauns
Atween the loons' an lassies' yairds
O' ma first schuil.
                              Ma airms
Ware round her an ma lips
Seekan her mou
Whan the laithlie gorgon's heid stuid up
On a sidden frae hint the waa,
An the lang mirk ugsome fingers graipt
Ma craig wi a sidden grup——
And then the words o weirdless dule :
" Owre blate, ye fuil ! "

Spleen

Steir bogle, squat bogle
Bogle o sweirness an stuperie ;
Wersh bogle, wae bogle,
Bogle o drumlie apathie ;
Thir twa haud this fule in duress——
Malancolie, Idleness.

In duress vile ye muckil fule,
Cock o yir midden o sloth an stour,
Geck o the yill an a restless saul
I dwaum lik a convict, dowf an dour
As the runt o a riven aik
Whaur ghouls can set or their hurdies ache.

The westlins sun, reid owre The Gowf,
Fluids the Links wi glaumerie,
I set wi ma bogles dour an dowf,
Idleness an Malancolie ;
Lik a braw new penny Sol dwines doun
Fou lik ma hert—but the saul toom.

In a Time of Deepest Wanhope

I' the nicht's lang sabbath thares ae leid I hear
Mang aa the thieveless rants o demonrie,
Daith throu the fell stramash aye speaks me fair,
    Timor mortis non conturbat me.

He gars me trulie tell " Whit hauds ye here ?
Whit is thare nou in life that life can gie?"
—I've quafft the quaich tae lees, tae gang I hae nae fear,
    Timor mortis non conturbat me.

My sangs are sung, ma hert is faur frae here
And in ma saul is nocht but langerie,
The days are lang, the nichts are langer mair,
    Timor mortis non conturbat me.

I'll no can bide with my ain hert nae mair,
Frae oot this quaukan moss ma weird I'd free,
The play is duin, the girnan angels fleer ;
    Timor mortis non conturbat me.

Ma stane heid cracks wi thochts I cannae bear,
O tous les livres sont lus, and wersh are liquor's lees,
The curtain faas, an I've nae verses mair ;
    Timor mortis non conturbat me.

Daith, tae tak me in ma bed the nicht, ma fier,
Wald be the gift I maist wald hae ye gie,
For truth tae tell there's nocht tae haud me here,
    Timor mortis non conturbat me.

Reflections in a Glass

Drinkan alane's a gey sweir job, lass,
Nae blossom o light i yir dreichlie glass,
The anerlie licht i the warld is ane
I' the hert that gars ye tine yersel :
Gin it werena there, ye widna be here,
An mebbe its hevin it leams on—or hell.

Onyweys its lik a caunel flame
Blawn wi ilk camsteerie draucht,
Whiles lowpan up lik the bleeze o God
Whiles skitteran oot blae an wan
Lik corplichts roun a mirk kirkyaird,
Whiles flung widdershin lik the saul o man.

Yon caunel's in ma saul the nou, lass,
Dauntan me wi its haliket ploys,
But aa the drink i the warld cannae droun
The desart atween ma thochts o you
That thraw ma saul wi lemanrie,
An ma toom airms o mockerie.

Ye cannae flee, ye cannae flee
The leerie's speiran licht,
Ye cannae, twixt the fac an the dwaum
Brig the skriddan gowls beneath ;
Ye drink, the prey o its borneheaid flichts,
Fule sport o ilka zephyr's breith.

But, luve, the wick manu dwinnle doun
Or sae the reasoun tells,
But gin the reasoun's ocht o pouer
I hae ma douts whan the hert is hie,
Ay, hinny, in ma dowfart dwaum
Twa tyger een aawhare I see.

O neer the licht'll doiter doun,
Ma luve, thares spate o gleid ;
I cam here til escape ma thochts
——They thrang the mair ; Och nane can flee
The caunel burnan i the hert
Whaes fuel's luve and langerie.

The caunel's stern is nou a sun
Bleezan owre the mapamoun,
The bar is steght wi reik an sweit,
Tulyies soom on a sea o yill
——But whaur's ma lassie, whaur's ma luve ?
(Orpheus cries throu the haars o Hell.)

Ma saul alowe wi the tyrant licht
An yours the een that kinnled hit,
I at its mercy slump at the bar
Fule o its daft ramskeerie fits,
Drinkan alane tae lowp the abyss
Twixt whit I hae an whit I wish.

The Scaur

There is nae luve, I ken,
Wioot a skaith ; but whaur's
The luve can ever ban
I' the weary hours
The bluidie braird o an auld scaur,
Thoght deid, that jags again ?

Whan thochts rin free
Reid-wud lik wolves
Throu the bleezan-icy trees,
Shaw me the puir skirt-feifit fule
Ootrins the teeman scaur o luve,
Thoght deid, that niver dees.

Frae the French o Francois Villon

(Le Lais 2-4)

At this time, as I have tauld
Roun Christmas, the deid hin-enn
Whan wolves eat the wund an the cauld
Hayr gars aa fowk keep ben
Huddered roun the bleezan gleid,
There cam on me a wull tae brak
Frae the loosum jail I lang hae dreed,
That aye ma hert does rack.

And sae I did that verra thing
Whan her afore ma een I saw
Content wi my dashcomforting
That brocht nae guid til her ava,
For whilk the hevins nou I plea
The gods o luve tae bring
Bluidwyte on her and grant til me
Remeid frae luve's sair burdening.

An gin I tuik tae favour me
Thae douce glinks an braw deceits
That ware but idle treacherie
Tae jag ma benmaist hert wi freits,
Divil the guid was brocht tae me,
But left me lane in sair wanhap.
——Och weel ! Anither glass I'se pree
And at anither cunyie chapp.

Ae Shouer o Hail an Three o Rain

(Frae the Czech o Ivan Jelinek) *

Throu a shouer o hail an three o rain
We twa gang—and no alane ;
Gin the tyke I hae wi me is ane,
Wha's by me then ?

Efter ilk rain the sun's bleezan ;
I' the efternuin
The hail's dingan ——. Cauld are yir hauns
And wha may kiss them ?

Leaf o the aik, did ye luik in her een ?
Ower the brig juist lean,
Let faa yir tears i the burn
Frae luve alane.

Ye can greit in sang anerlie
Until the Dee,
Ahint the hous, spates owre the land
For the blytheness o yee.

* Born 1912 ; Czech Armoured Brigade ; Author of *Basne* 1938-44.

Sang : *Lente La Nieve Fiocca, Fiocca, Fiocca*

For Marion

Slaw, dear, slaw the white flakes faa,
Slaw the snaw,
O white it faas,
Crost ma winda peerie paws
Frae a murlan yalla lyft ;
I, in a dwaum reift,
Saw thare gleen
Throu snaw-freiths twa dark een
Saft an deep wi kennan,
Lamb, but faur, sae faur
Frae me this humin,
Eastlins horror-reid wi war,
White here wi snaw.

JANUARY, 1942

FIVE BLYE SANGS FOR MARION

I. *Sweet Womankind*

Ma hert is deid wantan thee,
  Wantan thee I dwine,
O whaur in God's ain warld wald I be
  Gin thee I eer should tine ?

But O my loo she says tae me
  " Throu thee the whiskies reenge,
A pound ye had whan out we gaed,
  Ma hinny, whaur's the cheenge ? "

A curse on aa sweet womankind
  Thae couthie wycelike crew,
I curse their daft philosophie
  ——But och I loo them too !

An truth it is, ma dearest lass,
  Tho fou I be the nicht,
Wantan thee I'm a tuim glass
  An black is the braw munelicht.

II. *Falling Off a Log*

O green's the spring, ma hinny,
  Alowe in ilka tree,
Green as the luve has burst atween
  Ma hinny burd an me.

Ay, green's the warld, ma hinny,
  That owergreens oor nest,
An green the sang is rinnan
  In ma hert it downa rest.

For green's oor luve as the liltan spring
  Gilds ilka leaf sae schene,
An green the lee-lang praise I'll sing
  Till I'll maun steek ma een.

III. Sang o Glaidness

Ae clap o a bell sets the tuim glen ringan,
Ae note o a burd sets the haill wuid singan,
Ae thocht o ma doo an ma hert is dingan
    Ma lugs wi loo o ma dearie O.

Ae gless ir twa skails the dule ye're dreean,
A third an the mirk aroun ye is deean,
Ae thocht o ma lassie ma harns are fleean
    Wi loo for ma doo, ma dearie O.

Sae ring ilka bell, fill up aa the glasses,
Let aa the burds sing an lets loo aa the lasses,
Auld winter is gaun an the cauld nicht passes,
    The morn I'se be wi ma dearie O.

IV. I Loo Ma Luve in a Lamplit Bar

I loo ma luve in a lamplit bar
Braw on a wuiden stool,
Her knees cocked up an her neb doun
Slorpan a pint o yill.

She talks an unco orra clash
But och it glads ma ear,
There's some may wale a wycelike lass——
Gie me ma daftie dear.

I' the muckle mirror hint her heid
Advertisan barley bree
Ye'll see nae highbrow, jist a burd
That's dear as life tae me.

An whan we're baith hauvers fou
Hamewith crost the Links,
Airm in airm we're daft eneuch——
Why blame it on the drinks ?

C'awa ma dear, a pint o yill,
Ma hinny lamb, ma doo,
An clishmaclaver aa ye wull——
There's nane I'll cheenge for you.

V. Words for the Tune of Greensleeves

Greensleeves waunered throu the snaw,
    O ma winter lassie O,
Snaw flakes mang her curls did blaw,
    Greensleeves O ma dearie O.

A green burd flew intil ma airms,
    O ma winter lassie O,
In ma hert she'll tak nae hairm,
    Greensleeves O ma dearie O.

She cam tae me frae out the snaw
    O ma winter lassie O,
Frae ma hert she neer wull faa
    Greensleeves O ma dearie O.

Can I Forget?

Can I forget the sickle mune
Owre Largo throu the driven clouds,
The sea lik bilan milk at oor fit?
Can I forget the snaw aroun
An the tent-flap lik a gun boom
Whan the wund tuik it?

Can I forget the wolves' houl
Famished rinnan throu the toun
O' haar an wund an lamplicht?
Can I forget the staucheran news
As Christ received the Spanish doom
An nocht tae dae but drink o nichts?

Can I forget ma black wound?
Kirkcudbright, may ye be dung doun
An damned, Dundrennan too!
Can I forget, (Och, never!) a luve
Crottle in my twa haunds tae stour,
The rose o ma hert wormed wi rue?

Can I forget the Solway flows
Gray as daith, or the worm i the rose?
Whiles, whiles; but it bides its hour.
O, thornèd nou, hert's fanatic pouer
Strang as the skaith it stranger flouers,
The skaith's a meisure o the luve.

Can I forget whit the saul can prove,
That luve is bricht as the skaith is dure,
The skaith is deep as the luve is hie ?
Can I forget I'll neer can lose
Twa tyger een nae mair nor those
Lang houghs lik the silken dunes o the sea ?

Can I forget, ma luve, ma luve,
Havana thrang wi drucken fules
And ye amang them, lauchan queen ?
Can I forget, ma luve, ma luve,
Strathyre's muckle bed in a wee room,
White breists lik hills i the mune's lily leam ?

Can I forget the gifts o you,
Yon music thats the wine o luve,
The burds' wild sea-sang in yir hair ?
Can I forget, ma pouter doo,
Voar an hairst an winter are you,
Sun an mune an the warld, ma dear ?

Hymn of Luve til Venus Queen

Queen o sun's bleezan pride
Queen o mune's secret pride
Queen o starn's saikless pride
    Venus queen, tak this leid,
For Naoise and his Deirdre queen
For Paris and his Helena
For Egypt's queen and Antony
    Venus queen, tak this leid.

Nae life is, but in luve
Nae guid is, but in luve,
Nae truth is, but in luve,
    Queen of luve, gie us luve,
Nae blytheness, but in luve
Nae tresour, but in luve
Nae fairheid, but in luve
    Queen of luve, gie us luve.

On land nae riggantree
On sea nae harberie
Frae storm nae deliverie
    But in luve,
In dule nae comfortan
In dout nae resolvan
In peril nae hainan
    But in luve.

Wantan luve is menseless
Wantan luve is thowless
Wantan luve is weirdless
    Gie us luve, queen of luve,
Wantan luve is undaean
Wantan luve is unkennan
Wantan luve is unbean
    Gie us luve, queen of luve.

Wund ryses, trees sough
Storm lowers, cocks craw
Luve cracks, man dees
    Hain oor luve, Venus queen,
Thunner dirls, beasts hudder
Levin skitters, bairns chitter
Luve funders, gode greits
    Hain oor luve, Venus queen.

Sun ryses, laverock's glorie
Mune ryses, rossignel's glorie
Luve ryses, gode's glorie
    Glorie til thee, Venus queen,
Hunter's horn, hart lowpan
War's pipes, daith lowpan
Luve's drum, hert lowpan
    Glorie til thee, Venus queen.

Man ohn luve is walkan neep
Man ohn luve is langelt stot
Man ohn luve is hauf man
    Luve is ane gowden croun,
Man wi luve is potent prince
Man wi luve is laurelled bard
Man wi luve is throned gode
    Luve is ane gowden croun.

Man alane mocks man
Man thegither mocks gode
Man an mate mock daith
    Queen o luve, tak this leid,
For Naoise an Deirdre
Cleopatra, Antony
For Marion an Sydney
    Queen o luve, tak this leid.

" Si natura negat, facit indignatio versum."

JUVENAL

II

Prometheus

On the saul's cauld an michty ridges
Ilkane maun find his muckle ghaist
Mirk an giant i the mist,
His Brocken Man o nicht
Is guid or evil winna rest.

He wields yir weird sans thocht,
Is aa we need tae ken,
But ower aft he dogs at back,
Maun haud his shaddaw in oor sicht
Gin we'd be haill an ken oor track.

Fell's the terror on the ridge
The mirk spectre i the mist,
But maun be seen gin daith be conquest,
Unsaid dout, or clood or licht,
Wull flee. Unseen maks a false face.

𝔔𝔲𝔬𝔡 𝔗𝔬𝔯𝔮𝔲𝔢𝔪𝔞𝔡𝔞

Prometheus

Nou freedom fails in field an wynd
A certain pattren haunts ma mind
O' man's impassioned protest killt
Bi the owreharlan pouer that Fate
Gies gratis til the tyrant's haund
Tae dumb truth's peril til his state ;
Wi fleeran crest it aye maun tilt
Naukit at armoured ermined hate.

On a black craig in hie Caucase
Prometheus hingan nicht an day
Sees whaur royal Deirdre sleeps
Wi Naoise and the hammered knives,
Sees Conachars aye come and gae
Wi sword an traiterie an gyves ;
And aye re-echoes steep til steep
The price o yon Titanic pride.

He sees the tragic cavalcade :
Wallace gralloched and castrate
Tae pleisure Langshank's splendid whim,
Sees Braxfield lauch an the hevins blench
At Muir's fell doom tae Botany Bay,
Kens nocht but bluid can ever stanch
The guilt-bluid John Maclean saw rin
Frae heid til fit o the High Court bench.

But dumbed in daith is deil a mou
O' these, of aa the martyred crew
Their restless weird mang shaddaws dree
Wi Fletcher's prood prophetic hert
Forgot, negleck't—but minded nou
Whan truth's deep winter smoors the yerth,
Their words throu tyrants' screichan lees
Furthspeak lik drums in freedom's dearth.

An whit o the untamed few amang
The quick wull heed deid's raucle sang
An spurn the lolly tyrannie
O' Greek gifts thirls oor fowk the nou ?
Shall they jine the tragic thrang
Withooten ootcome, martyred too ?
Historie says Ay, but we
Wald croun the Titan's brou.

The Viaduct

A fowr-airched railway viaduct
Rears abune the Largo road,
A man leans owre the parapet
Titanic i the humin-scaud——
Godlike, spieran, miscontentit Man,
The elemental figure stands.

Possessed o an immortal saul,
Lord o the yerth an the seeven seas,
Frae Gode's ain lyft can wrack his wull,
Stauns silhouette in majestie——
The royal shackled carrion,
Spieran a tashed millenium.

Bairn o historie, luiks doun——
Heir til the lang-kent truth o the fowk
Leart i the cradle tae be corrupt
Bi a slee system ere he's grown——
Bedevilled, spieran, ignorant, unfree
Surveys his riven legacie.

Sahara

I

Inexorable on ye stride,
Fate, like a desart wund ;
Agin yir vast unpassioned pride
I pit ma saul an haund,
As the wild Bedouinn
Tykes gowl at the muin.

II

March, ye luveless Cailleach, blaw
Til the dumbest mirkest end,
An whan the yerth's a blastit skau
As toom Sahara brunt an blinnd
Thare, daft an damned wi raivan ee,
Adam, greinan tae be free.

Largo

Ae boat anerlie nou
Fishes frae this shore,
Ae black drifter lane
Riggs the crammasie daw,
Aince was a fleet, and nou
Ae boat alane gaes oot.

War ir Peace, the trawlers win
An the youth turns awa
Bricht wi baubles nou
An thirled tae factory ir store ;
Their faithers fished their ain,
Unmaistered ; ——ane remains.

And never the clock rins back,
The free days are owre ;
The warld shrinks, we luik
Mair t'oor maisters ilka hour——
Whan yon lane boat I see
Daith an rebellion blinn ma ee!

THE STAUNAN STANES

I. Efter Exercism

On Lundin Links there staun
Three giants petrified,
Rysan frae the yerth their dwaum
Is hapt in stane, their sleep
Is waukan aye ; they mock
The deid and hate the quick.

Auld faithers, whitna ye
Micht be, o deil or priest,
We kenna, carena ; historie's
Your tipple : in our livan breist
The deid is deid, God pit
Resurgam i the room of hit.

II. The Gluttons

i

Ayont the dyke staun three
Auld Stanes that speakless speak
O' man's mortalitie ;
But cannae gar them greit
That lang were hemlock-steght are free
Frae life's dreid pyson, thowlessrie.

ii

Memento mori, the Stanes say,
——But daw is daw and fell is fell,
God made us glutton, nocht we hae
But in excess, o hevin or hell ;
Daith dees, we wauk, God grant us three :
Luve and meat and libertie.

Beethoven

Rock-cast his skull o the weathered warld
Is raff wi sic lane pride
O' the shackle-brakkan saul
Wald breist the wide
Steep bounds o man's pent,
Sleepless, weirdit miscontent.

Prometheus' daithless speak
Defiand answers daith again,
Here, helmeted wi wunds, luiks owre the bleak
Daith-ridden mongerlands, a wean
Brocht furth in tourbilloun
Tae bigg a warld, or ding blinn Gaza doun.

Pompeii

Vesuvius petrified a toun,
The lava frae her scarrie paps
Mither an bairn thegither hapt,
Maister an man, lyart an loon
In sarks o stane. Nou draps
Anither manna wi oor doom.

But nou the flesh is no the aim
Agin the free-mind nou they draw,
The saul o man they'd cage in braw
Neat, polished, menseless bane,
They'd pent in gray the watergaw
And smoor the licht i the een o weans.

Blake said frae Caesar's diadem
Cam the strangmaist pyson kent—
We souk it doun, daith's sacrament
That petrifies the wull, an then
Caesar we worship innocent
Astride the backs o his leal men.

John Maclean Martyr

I

The bluid he saw dreeps yet
A black affront til men
That bluid nor luve can mend
Or man shall get
Ae the warld's end
Remeid frae his teeman debt.

II

Whiles, oot the thrawan ruck
There ryses a Maclean
Hauds black in's bluid, but vain,
The wyte man taks
Frae man for the shame
That's paid wi a price mair black.

III

Abune the crottlan tenements
The mune lowes reid
As man's ain martyrs staw her gleid
Wi the carrion stink is sent
Up frae the warld's desart deid
——The reik o man's dismemberment.

Ballant o John Maclean

Founder of the Scottish Workers' Republican Party.
Died St. Andrew's Day, 1923.

" *I for one am out for a Scottish Workers' Republic.*"—J. M.

Muir an Wallace his prison mates,
Lenin an Connolly,
Nane ither ever was his maik
But ithers there wull be.

Though mocked an hated, crucified,
An jailed an mocked again,
Yet never dousit they the gleid
He lit on Glesca Green.

The Mongers triumphed ower soon
As they harried him til daith,
For nou their micht is crottlan doun
But freedom yet has breith.

Ahint his corp throu broukit streets
Three miles o murners thrang,
He wan the hate o the Monger breed
But the luve o his ain was strang.

Turn ower in yir sleep, Maclean,
Nane is michty as the deid,
Speak yir daithless speak again
——The evil gets their ain remeid.

" I staun no as the accused," he said
Til the lords in crammassie,
" But as the accuser o yir state
Biggit on gowd and infamie !

" I see yir guilt there rinnan doun
Heid til fit the bluid rins reid,
Ye're loftit there lik godes abune
But the feet are clay an the hert's deid."

Och, tods have holes, the birds nest
But whaurs the Son o Man tae rest ?
On prison stanes they laid his heid
An prison gruel was his breid.

A great hert warsslan in a cell
Lik a live burd in a cage
Till hint the bars o a stane hell
They brak the eagle o the age.

But they brakna his words o flame
Nor dousit his memorie,
——Turn ower in yir sleep, Maclean,
Scotland has need o ye !

To the Shades of Yeats

Yeats, if ye luik aye tae the past
Biggan a warld on the map o a dream
Whaur puirtith is douce an reserved for the best
An ignorance pairt o a seilfu scheme,
Wi grand injustice the source o guid
An tyrannie throned i the image o Gode,
Why praise yir " Indomitable Irishrie "
That warssled wi thae throu the centuries ?

I praise, as you, the vagabone
For despite his clouts he's a king,
But the clouts've nae naitural richt tae the throne
As sich—sure that whaur they hing
Ye're like tae finn a chiel that free,
The tinkler, the bard an the maisterless man——
——But the vertue's no i the povertie
Its the choice tae sing his ain daft sang.

Ay, Wullie Yeats, its here we brak
For thares nae retour throu the nichtit wuid ;
Whits deid is deid, we'se neer get back
Nor in Scotland wald gin we could——
I abolish the past an aa ye sing
O' feudalistic glaumerie !,
Future's unkent but whitna it brings
Oor belly's steght wi tyrannie !

We luik til the kenless dawn aheid
As the few richt Scots aye did luik,
Indomitable yet the breed
O' Burns an Maclean as the Irish fowk ;
An sure we'se yet prove ye wrang,
The outlan wants nae lord's dictate,
This skalrag land in shackles lang
Taks the free man's richt tae gang's ain gate.

Ye Mongers Aye Need Masks for Cheatrie

Delacroix pentit Chopin's heid
No lik ithers a jessie hauf deid
But true, wi a neb lik a eagle's beak,
Een lik levin frae the thunner's crack,
His rasch face sterk wi pouer an daith
And aa the agonie o Poland's skaith.

Wha'll pent trulie Scotland's heid
Nae couthy gloam but mirk an reid ?
Skail yir myth o the Union year
Saw mob an riot but deil a cheer ?
Syne an Empire's biggit wi Scottis bluid
——But wha'd hae gane gin hame was guid ?

Ye mak a myth o a cheated land
As Chopin's made a lilly man ;
But truth wull screich an Scotland rid
Ye mongers as the Irish did ;
The bluid ye drave til ilka airt
Shall feed its ain reid sleepan hert.

1939

Agin Black Spats

On Kenmore Brig that Geordie made
Wi Jacobite fines I staun,
Whaur Tay springs frae the Loch o Shades
Reid wi the wild April humin,
(April, month o the Arbroath screed
That minds me Scotland aince was freed,)
O' the great rebels thinkan ;
For here the heather's tasht wi bluid,
Here Gregor Roy frae Campbell fleed
That reift his faither's land
An reithe rebellion fleered its heid
As gallus lad mocked raxan laird,
But laird got lad at the trail's end.

      I hain in mind
      Thae that fell
      In ilka land
      For freedom's cause
      Nor widna bend
      Til unricht laws
      Nor a tyrant's will.

Gregor was taen ; Pearse was shot
I' the cauld dawn frae prison ;
Wallace they hackit an hung on yetts ;
The guillotine got Danton ;
Marlowe got a drunkart's knife ;
Maistlike a swayan rope
Tuik Frankie Villon's life ;
Wi wershlie deean hope
O' libertie Pushkin lies
Gagged bi royal spies ;
While Byron dwined in a bog
An Rabbie's leid gies text til sods
That prate o freedom
An practise feedom.

Jist as aince their sib betrayed
Charles Edward prince o a cheated race,
Had sold ere this their people's traist
For the Union's faithless peace ;
Their legacy's that nou we're laid
Hauf deid i the mirkest gloffs o saul
Oor pride asleep
An oor passion cauld.

It seems the michty aye
Maun conquese at the end,
Ilka hero theyve pit by
Wi a fancy dress an a curly mou
On a fake romantic strand

Makan gestures " noble an true "
But aye providit we unnerstan
That nou we've aa been secured
Ilka libertie they spiered,
That cries fur mair are " premature "
Etcetera—its aye the same
The rules the rulers mak fur the game ;
An gin the cheated deid appeared
The day, they widna see ava
A cheengit lyft abune grim Saughton waa.

But nane o thir triumphand names
Fructless deed nor lived in vain ;
Here at Kenmore was execute
Gregor Roy that lowpit oot
Agin black oppression ;
Here, whaur loch an river mell
We can hear whit the deid tell,
The Cross is passed, and in succession
Theres be martyrs o the free,
For shackles brakna easilie,
Till ilka glen an ilka toun
Is rid the clypes lang haud us doun.

The Pricks

Saul was tauld he maunna kick,
An Christ preacht aa humilitie,
And nou the adamantine pricks
Haud up their crouns in majestie,
Freedom's made the Hure o State——
Kick, an ye'se pree the pouer o hate.

Theres twa alternatives, ma fiere,
Tane's tae bou the heid an thole
(The easier gate, the thrall's lear
That taks bluidwyte frae the wizzent saul)
Tithers the auld road rebels ride,
Exile, jail and daith—an pride.

For Saul an Christ, tak Barbour's leid
——" Fredome is ane nobil thing,"
The sang yet dirlan frae the deid
Burns, Muir, Maclean wald hae us sing ;
Theres twa weirds nou the saul can dree
——Recht sempil, brithers; kick, or dee !

" And the hapless soldier's sigh
Runs in blood down palace walls."
BLAKE

III
Mars

On Readan the Polish Buik o the Nazi Terror

To Mieczyslaw Giergielewicz and the folk of Poland

Poland, the warld is greitan as they read,
O Polska martyr, raxed on a wreistit rood,
Frae Scotland tak oor tears, oor blinnd an burnan dule——
O waesum mistraucht Poland, land o dearth an deid
Whaur the Black Horseman rides the yerth
Bricht his white banes glister white as daith
As the brass hoofs stramp athort the nicht
His trail is huddered stiff wi his raggit tribute,
An nocht is shair but wanhope, nicht, an fear——
An reivan nan frae woman, mither frae her bairn——
O Polska, gash, gash yir weird ! Ye hae oor herts
Are skaitht wi kennan—Christ, but whit can kennan ser' ?

We ken fine the track o yon fell Rider ;
Flodden and Culloden tell their tale,
Ay, battle's defait getts wae's begrutten pride
But tis owreharlan, sleepless, breeds the granite memorie ;
An baith we've kent, as you ; the burnan hames, eviction, exile,
Kent the terror o the reidcoats harried
Thoosand on thoosan doun til the ships,
Thoosands o crofters doun til the slave ships,
Wemen and weans doun til the plague ships,
Unborn crateries doun til the grave ships;
And mony and mony deid on the faem
For the few i the new lanns fand a hame.

We ken the Black Rider, ken him weel,
And och I send the cauld comfort o hope til yee
That warssle nou i the Nazi hell
I' the chitteran nicht ahint a shack
I' the snaw crouched laich an the breith hauden
Or the airn-shod buits are past
And ye'll nou can retour tae the sleepless wark
In basement an bothie, in slum and mill
Throu simmer drouth or rime or rains
Wi leaflet an wireless an gruppit stane
An whiles the cauld an smilan dirk——
——An the lips o freedom girn i the mirk.

O stoundit sair-fraucht Poland, whitna the years may dree
Or your folk in Scotland falcons frae the gurlie lyft descend,
Hain aye the lowe sans whilk the saul can dee
That centuries o thraldom canna blinnd——
We'se drink thegither yet, lang tho the onwyte be,
The dear tint wine o libertie !

1942

FRAE THE POLISH O STEFAN BORSUKIEWICZ *

I. Ma Brither

The kirkyairds bleezed. The dawn
Hissed on the smouchteran grieshoch——
Weirdless their bidan that bided thon dawan.

Ma brither was thare i the reik
His airms I saw wide-streekit
Sterk forenent the pitiless lyft,
The humin gash wi stang an skaith,
Lispan deid sangs in a land o daith.
    ——I leefulie laid
    Aa hope neth ma lids.

The onset breenged forrat thon nicht
And a coronach wreistit til targats hung
Wae-crazed frae the shairp palisade.
Ay, reid-het airn the hours flung
(I saw a bricht cairtridge-belt snicker an tak
A haun aff at the wrist—Reid rattlesnake !)
Till grundan doun the deif stour crinched
Throu the rankreengin skreighan machines
    ——An was fa'en.

And we are wauneran airm in airm again
Twa brithers frae the capital o flames,
I feel ye near ma hert, sae near tae me
But you'll no speak——
              Are ye no hearan me ?

* Stefan Borsukiewicz, born 1914, died 1941. Polish Parachute Brigade in Scotland. Author of *Kontrasty* 1941. (Kolin, London).

II. *Ballad o the Defence o Warsaw*, 1939

The nicht was reid wi whorlan munes
(It neer wald faa again),
Ootwith the toun the suburbs clung
In fear lik a drunkart's wean.

Warsaw, o steermen brave as gyte,
On rifles ye piped a hymn,
A feylike sang o the saikless lyft
Whaes licht nae cloud wald dim.

Efter a thoosan nichts I'se scrieve
This wae-prood leid o thee,
Yir tears rin aye unstanched,
Yir blae scaur aye ye dree.

Oor breith was hechlan as the air
Thickened lik a wuid,
On the kirk's larach mortars bloomed
Lik roses, roun a loch o bluid.

Bi the yetts the ravished mithers maen
Aince sun-blythe ware their een,
Till cam thon dreid September noon——
Nou their houghs haud daith atween.

Syne I'll easier faur get watter
Than a clod o ma ain countrie,
Syne I'll mind yon dour uphaudan
O' the faur toun tint tae me.

And efter a thoosan nichts I'se scrieve
This samen leid o yee,
Yir tears rinnan aye unstanched
An the blae scaur aye ye dree.

Lament for R.W.

There's nae philosophie I hae
Can blaw the wund anither wey,
There's nae gran thochts my brain can spin
Wull skail the mirk frae out ma minn,
There's neer a word can heal a scaur
    Or stap the war.

There's neer a prayr wull fly him hame
Nor yet a certain yin tae blame,
Whan the guilty ramp the innocent pey
——Dick's shot doun owre Norroway ;
There's neer a spell can lown the brak,
    Or fetch him back.

But let a curse aye rest on aa
Whaes avarice gruppit him awa,
Vengeance graiths for the michty few,
The skime o bluid-guilt weets their brou——
But och nae tears nor curse can speed
    Dick hame frae the deid.

1941

Epitaph for a Pilot

In Memoriam D.A.—and the lave

There are nae words o monumental praise
For him o wham a lass wald say
" My eagle, O ma darlin is asleep,
Deid is ma luve, ma bricht yin's gane ; "
An, Christ, whit can a monument eer speak ?
That he was fearless, nobil, wantan maik ?
Och, heap the unkent cairn upon the unkent grave
——The hert kens mair nor monuments can raise.

October 1941

Tchaikovski man, I'm hearan yir Waltz o Flouers,
A cry frae Russia fulls this autumn nicht ;
Aa gousty fell October's sabban in ma room
As the frantic rammage Panzers brash on Moscow toun——
An the leaves o wud October, man, are sworlan owre the warld.

I' the gowden hairst o Forty-Ane the reid leaves drap, they whorl
Rain-dinged an spin frae the wund-thrawn creak o trees,
Lik tears o bluid they flee wi the airn tanks an drift athort,
Puir shauchlan shroud, the wae battallions o the deid——
Oh the leaves o wud October, man, are sworlan owre the warld.

Ootby ma winda raggit branches drune
As roun the lums o Kiev, Warsaw, an the lave
O' sunken Europe ; throu the wuids, bi lochs, ablow the gastrous craigs
O' Caucasie roads slip wi bluid mushed black wi leaves an rain——
Oh the tears o wud October, man, are sworlan owre the warld.

Trees greit their tears o bluid, they mell wi the bluid o men,
Bi a daft Gode's weirdless breith the fey leaves blawn aa widdershin
I' the screich o whup ir shell the grummlan wunds o daith,
This month bairned you an me, month o breme dualities, o birth an
  skaith——
Oh the leaves o wud October, man, are sworlan owre the warld.

Sune rain wull freeze til snaw an the leaves be stilled
But yet thon oorie Deevil's Waltz'll straik the eastren fields,
Music o fa'an angels sab ; maun aye the gray wunds blaw
An the drum o wounds aye dirl throu the smooran snaw ?
Aye, the leaves o wud October, man, are sworlan owre the warld.

Whan Neva's black wi ice an glaizie in the mune-haar's lilly gleid
An trees drained black o tears, wull then the oorie sworl
Bide lown ? Nae, chiel, tho dream ye maun o daw i the how-dumb-deid
The leaves o wud October, man, aye sworl owre the warl.

On the Don, August, 1942

I

A soldier o the Reid Army tells o a happening during the German onset forenent Stalingrad

I mind yon day was liker nicht——
Shell fire an mines had lit the fields
An grown tae michty holocaust,
Nocht afore oor een but reik
Black reik owre the haill dry steppe,
It micht hae been nicht on the Don that day ;
Daylang the mirk clouds heived an swep
Wund-blawn throu the famished simmer gerss,
Atour us spreid in rauk broun swathes——
Ay, it micht hae been nicht on the Don
But for the reid baa throu the wreiths
A gobbet o bluid abune the Don
That was the sun.

Oor hauns ware blistered on the guns
As we killt an killt—ech, killt !
The teeman gray slave thousans
Strummlan silent tideless hint the wall
O' lowe-lit reik, a waa, a lyft,
A universe o reik
Blawn aye til the Soviet lines
Sae rowth an thick
It seemed it was nicht
On the Don.

Daylang the glutton gleid swep on,
We focht i the brunstane reik o the pit,
Oor lips ware burst, oor mous
An thrapples paircht wi drouth
While throu the fause
Perpetual humin aye the sun
Bluid-reid hung lik a hairvest muin
As it micht hae been nicht
On the Don.

A Scots soldier speaks o anither war

There's nae reik here, nae bluid-reid sun,
Nae wund, but a lowran lyft o leed
Derns the thwartit thochts o a voiceless folk
Whaes herts are dirlan eastlins wi a stound
O' guilt. Oor Monger rulers winna heed
But we wad fecht a richt St. Valery again,
Mak Embro toun Sevastopol, we ken
Your strauchle's ours, an wad we micht
Be wi ye whaur the reik's lik nicht
On the Don.

You, at Smolensk an Leningrad,
At Moscow, Rostov an the nou
Whaur't micht be nicht on the Don
Hae focht an fecht for Russia and aa men
(Tho that ye little ken) ;
We, that deed roun fell St. Valery
And in Malayan swamp, in Tobruk's garrison
Lang tholed, lang focht neth a bleezan lyft
Was ane vast brazen sun
Whaes mirlie sunspots ware the gleds
Bidan oor carrion ;
Oor een ware glaumered blin
Bi mirage an the daylang skimmeran haze,
As yours oor thrapples rauk wi watter's want
The sand reugh gravel in oor mous——
But was't for Scotland and aa men
Or unricht Empire and the Few
I' the sun ?

But ken ye yet the time wull come
A bluid-reid sun owre Forth an Clyde
(Wald it was nou !)
Whan we lik you sall reive
Oor richt an lang-tint ain——
Wad I cud ken that nou we did,
That aa thir muckle sum
O' Scotlan's bluid
Wald purchase freedom !
——Sae it wull, nor spent in vain
Nae mair nor yours, man, i the reik
That micht be nicht
On the Don.

The Reid Army man replies

I was at Smolensk throu the unco days
And oorie nichts as yet we focht frae neuks
An dernit bields efter the Nazis came ;
I left Sevastapol a gutted carcass
Jurmummlit corp o an echt-month siege ;
I ken o your Tobruk, it was the same,
I herd o naethin else ye tell, but I believe
An til the commonty o Scotland
I as Russia gie
Ma graithit haun.

Ye'se get ye free ; tho Perth an Glasgow's made
As Rostov steght wi clotted daith,
As Smolensk aa ane vast necropolis
O' braverie, as weel they may,
Tho Embro's levelled lik Sevastapol
Tae gruguos skau o grieshoch, bluid an stane——
(O fell begrutten yirdan-gruns o stour !) ;
Ye'se get ye free, I ken, as we did, frae
The Mongers, ay an grup yir ain
As we sall oot the hauns o thrallit pouer
Ahint thae waas o reik yon day
On the Don.

And i the outcome o the widdrem years
Thort ben an muir an ocean we'se tak hauns
Forenent the warld o mongerdom, ma fier,
Wi ilka trauchled folk o mapamound
Nou hauden doun
Bi enemy or self-appointit frien
On Ganges, Yangtse or Norwegian fiord
Moldau, Ebro or the Somme,
Danube, Forth,
Or Don.

ARMAGEDDON IN ALBYN

I. El Alamein

O dearlie they deed
St. Valery's vengers
——The gleds dine weel
I' the Libyan desert——
Dearlie they deed,
Aa the wunds furthtell it.

Around El Alamein
Ranks o carrion
Faur frae their hame
Ligg sterk i the sun,
I' the rutted sand
Whaur the tanks has run.

Yon burnan daw
Than dumb-deid blacker,
Mair white nor snaw
Wull the bricht banes glitter;
That this was fur Alba
Maun we mak siccar!

It wisna fur thraldom
Ye ligg there deid,
Gin we shuld fail ye
The rocks wald bleed!
——O the gleds foregaither
Roun Alba's deid.

II. The Mither's Lament

Whit care I for the leagues o sand,
The prisoners an the gear theyve won?
Ma darlin liggs amang the dunes
Wi mony a mither's son.

Doutless he deed fur Scotland's life;
Doutless the statesmen dinna lee;
But och tis sair begrutten pride
An wersh the wine o victorie!

III. The Convoy

The wund's on the Forth,
Icy the faem
Flicks at yir cheek——
A mirk thrang o ships
Is drawan hame.

Inby the room
Ma bairn hauds
Her breist lik a warld
I' the lowe-licht ; I staun
Neth the mune

An see the glib swaw
Til its aim heive an sweel
Ower aa the fields bleak
In sleep of our land,
Lik a gormaw.

Blawn clouds o reik
Fleer i the munelicht,
The lums hudder steep
Roun the shoreheid
They cluther lik warlocks.

Heich i the caller lyft
White frae the mune-leam
The gulls mae lik weans
Then streek owre yir heid
Wi a deil's-screich.

Faur frae ma bairn
The maws' fey maen,
Nearer the fleet's hamean,
But aa connect, an
The plan agin's ain.

Mirk clouds frae the ships' stalks
Faur i the nicht-freith
Tell o harberie raucht,
Throu the cauld firth
The ships gang hamewith.

IV. The Sodjer's Sang

I deed in Greece
Whaur freedom lees,
I deed in desart sand,
I deed maist aawhare
On the yerth
But in ma ain land.

They tell I deed
Fur libertie
But gin they speakna true
They'se pree the lees
O' a bitter bree
The sleepless deid shall brew.

V. Simmer Lanskip

A Sang for Bett

Aa simmer sings i the laden leaves
    Lik molten perls,
Mavie an laverock, lintie an merle
    Are carollan free,
    Are carollan free,
The fields whinner saft in a gowden swound,
    A peerie breeze
    I' the sangrife trees
An roses' heavy scent aroun
    ——But for the steel burd screams abune
    It micht be peace.

VI. Mars and Venus at Hogmanay

The nicht is deep,
The snaw liggs crisp wi rime,
Black an cauld the leafless trees ;
Midnicht, but nae bells chime.

Throu the tuim white sleepan street
Mars an Venus shauchle past,
A drucken jock wi a drucken hure
Rairan " The Ball o Kirriemuir " !

VII. The War in Fife

Gurlie an gray the snell Fife shore,
Frae the peat-green sea the cauld haar drives,
The weet wund sings i the wire, and war
Luiks faur frae the land o Fife.

In ilka hous tashed bi the faem
Tuim beds tell o anither life,
The winda's blinn wi the scuddan rain,
While war taks toll o the land o Fife.

By the " Crusoe ", backs tae the rain-straikit waa,
Auld jersied men staun hauf the day,
The fishing killt bi trawlers, nou
They drink the rents the tourists pay.

But anither race has come, the pits
Breed a raucle fowk nae geck beguiles,
Deep i the yerth nae haar affects
The second war i the land o Fife.

Thae are the banded future ; here
Dwine the auld defeated race ;
Unseen throu the cauld an seepan haar
Destroyers slip at a snail's pace.

A foghorn booms athort the Forth,
Drumlie lament fur a sunnered life,
The ruit an flouer that aince ware kith
Made strangers i the land o Fife.

The haar is deep, near in til the shore,
Nae maws screich owre the yalla freith,
The wireless frae a swayan door
Ennobles horror, fire, an daith.

The foreign war tuims mony a bed
But yet seems faur awa——
Twa hunner year o union's bled
The veins mair white nor ony war.

A third war cracks ; lyart an loon
Thegither curse the lang stouthrife,
Mirk ower Scotland hings its rule
Lik the snell haar hings ower Fife.

The Arbroath Declaration, April 6th, 1320

Thares a cauld haar that comes on Fife,
It dumbs the burds in ilka tree ;
At Arbroath toun is celebrate
The pledge made Scotland free——
But like a haar's the Deid Haund
Maks words a mockerie.

In Thirteen-twanty Scotland tauld
The warld i the words o raucle men
She hummled neck til King nor State
——The commontie was soverain ;
But until we lowse the land
The men of Arbroath sleep in shame.

Theres a cauld haar that comes on Fife
The silent burds ken it maun flee,
But neer the Deid Haund lifts unless
It be cast aff bi you an me ;
And no till then wull justice ken
The Arbroath fanfare o the free !

Glossary

GLOSSARY

(N.B.—The present participle ends in –an (d), the past in –it.)

A

Aa: all.
Aawhare: everywhere.
Abies: except.
Ablow: below.
Aince: once.
Airn: iron.
Airt: point of the compass, part, district, quarter, direction.
Alow : below.
Alowe: alight, aflame, ablaze; below.

B

Baggit: having a big belly.
Bane: poison ; envy, malice ; bone.
Barley bree: whisky.
Begrutten: tear-stained.
Ben: inside.
Benmaist: inmost.
Bield: shelter, refuge.
Bigg: build, erect.
Bile: boil.
Birk: birch-tree.
Birl: spin round, whirl.
Blae: blue ; livid ; wan.
Blinnan stew: blinding rainstorm.
Bluidwyte: blood punishment.
Blye, Blythe: happy, content, joyful.
Borneheid: headlong.
Bourach: pile of stones or rubble.
Braird: first sprouting of young grain.
Brak: uproar ; break, broke.
Brangle: menace, shake, confound, throw into disorder.
Brash: rush headlong, assault.
Bree: brew.
Breme: violent, fierce ; bleak.
Breenge: burst forth.
Breer, breir(d): sprout, germinate.
Breist: to spring up or forward, to overcome a difficulty ; breast.
Bumbazed: stunned, bewildered.

C

Caa: call, cry, summon(s).
Cailleach: supernatural monster symbolic of winter and storm.
Camsteerie: wild, unmanageable.
Cantie: cheerful, snug ; pleasant, lively.
Cauldrife: terribly cold ; chill.
Caunel: candle.
Causey: the street.
C'awa: come away, come on.
Chalmer: chamber, room.
Chanceless: unlucky ; dangerous ; without chance of happy issue.
Chapp: knock, rap.

Chitter: shiver, chatter with cold.
Chuckie stane: small stone.
Clanjamphrey: collection of (worthless) people, gang.
Clartie: dirty, filthy.
Clash: see Clavers.
Clavers: idle and foolish talk.
Clishmaclaver: see Clavers.
Cloutie: the Devil.
Clouts: rags and tatters, ragged clothes.
Cluther: cluster.
Clype: term of abuse.
Conquese: conquer, gain.
Corbie: large black crow, bird of evil omen.
Coronach: lament.
Corplicht: phosphorescent light seen in grave-yards ; omen of death; will-o-the-wisp.
Cou: whore ; cow.
Coup: overturn, tumble.
Couth(ie): pleasant, comfortable ; respect-able ; opposed to anything solitary or wild.
Craig: neck, throat.
Cramassie: crimson, purple.
Craterie: little creature, child, baby.
Crottle: crumble away.
Crousie: convivial, cheerful.
Cuif: fool, knave ; halfwit, idiot.
Cunyie: nook, corner, concealed hole.

D

Daur: dare.
Dautit: spoiled by overpetting.
Daw: dawn.
Deave: deafen ; oppress ; obsess.
Deid-licht: see Corp-licht.
Derkenan: twilight, dusk.
Dern: hide, conceal.
Ding: exert oneself, strive ; strike, beat ; overthrow, overcome.
Dirl: pierce, thrill, throb.
Disjaskit: worn out and weary, exhausted, forlorn.
Doiter: totter, become feeble.
Doo: dove, term of endearment.
Douce: comfortable, soothing, soft ; com-placent, respectable, prudent.
Dounset: defeat, overcome, destroy.
Dow: can ; (with Negative) be reluctant to . . .
Dowf: melancholy ; torpid ; inert.
Dowie: sorrowful, woebegone, melancholy.
Draible: to muddy, dirty, stain, soil.
Dree: endure, bear, put up with.
Dreich: dull ; miserable ; wretched ; long-drawn-out, wearisome ; dry.
Drouk: drench, soak.
Drouth(ie): thirst(y).

Drowie: misty-wet.

Drucken: drunken.

Drumlie: muddy, disturbed; troubled, troubling.

Drune: wail, moan.

Dub: gutter.

Duil, dule: sorrow, grief, woe.

Dumb-deid: see How-dumb-deid.

Dung: past tense Ding q.v.

Dure: hard, stern, tactiturn, cruel.

Dwaible: stumble, lurch.

Dwaum: dream, swoon; fit of illness or fainting; & vbs.

Dwine: waste away, languish.

E

Eastlins: eastward.

Ee(n): eye(s).

F

Fa'an: falling.

Fa'en: fallen.

Faem: foam.

Fairheid: beauty.

Fause: false.

Feart: frightened.

Feif: get possession of by law or force.

Fell: very (in a bad sense); tragic, terrible, doomed; destiny.

Fey: doomed; a person with a doomed look.

Fient a: not a . . .

Fiere: comrade, friend, brother, pal.

File: to soil, filthy, defile.

Fin: find.

Fit: foot, feet.

Flaughter: flutter.

Fleer: taunt, ridicule; flare.

Focht: fought.

Fornent: against, opposite to.

Fou: full; drunk.

Fowk: folk.

Fowth: plenty, abundance.

Fraucht: tried, oppressed, travailed.

Freit: superstition, fancy, omen, charm.

Freith: froth, foam; a drift of snow, mist, spray or rain.

Fremmit, Fremt: isolated, friendless, deserted.

Fructless: fruitless.

Full (pronounced as in **Gull**): fill.

G

Gallus: rackless, rash, spirited.

Gar: compel, force, make to do.

Gash: ghastly, livid, wan.

Gastrous: monstrous, terrifying, horrid.

Gate: method, fashion; way, route; (Gang his ain g.: work out his own destiny, paddle his own canoe).

G'awa: go away! be off!

Geck, Geg: trick, deception; fool, victim of trick.

Gerss: grass.

Gey: fair(ly), considerable(y).

Gie: give.

Gill: ravine; mountain stream.

Gin: if.

'Gin (agin): against.

Girn: grin; snarl; whimper.

Glaizie: glittering; glossy; shining like glass.

Glair: mud.

Glaumer(ie): dazzle, fascinate, beglamour; wonder, fascination, witchcraft, magic.

Gled: buzzard, vulture, kite.

Gleid: strong bright fire; spark; hot ember.

Glent: glance, short look; glint, shine; flash of light.

Glink: side-look, flirtations look, oeillade.

Gloff: darker patch amidst darkness or fog.

Gorgoull: demon.

Gormaw: cormorant.

Gousty: tempestous, blustering.

Gowd: gold.

Gowk: fool, blockhead, idiot.

Gowl: howl, as of threat, indignation or challenge.

Graith: make ready, prepare (often in military sense).

Gralloch: disembowel.

Grat: wept.

Grein: yearn, long for.

Greit: weep; lamentation.

Grieshoch: dying embers still faintly red.

Grou: awful, ghastly; terrified; feel chilled.

Grugous: grim, terrible.

Grund: ground; grind.

Grup: grasp.

Gurl(ie): tempestuous, stormy; the growling of the wind; to roar.

H

Haar: cold wet mist, drizzling rain; a raw cold easterly wind.

Haill: whole.

Hain: preserve, keep, protect, look after, cherish.

Hairst: harvest; autumn.

Haliket: wild, giddy, crazy.

Hamewith: homewards.

Hap: cover, protect, conceal; envelop, surround.

Harns: the brains.

Haud: hold.

Hauden doun: suppressed, kept under.

Haun: hand.

Hauvers: half and half.

Hayr: hoar frost; freezing; bitter weather.

Hechle: pant, breathe with difficulty.

Heich: high.

Heive, Hive: grow, swell.

Hie: high.

Hin-enn: winter, hind end of the year.

Hing: hang.

Hit: it.

Hough: thigh.

How-dumb-deid: uttermost depth of midnight.

Howe: hollow.

Howff: pub, haunt.

Hudder: huddle.

Humin: twilight, dusk. (h-scaud: gleam of twilight).

Hure: whore.

I

Ingangs: bowels, intestines.
Ingyne: ingenuity, genius ; mind in general.

J

Jag: prick.
Jurmummle: overthrow, devastate, smash down.

K

Kaim: comb.
Kintra: country.
Kist: breast ; chest.

L

Laich: low, dispirited.
Laith: loathe ; loth, unwilling ; loathing, distaste.
Laithlie: loathsome.
Lane: lonely, alone ; (his l, my l., etc. : by him, myself).
Langelt: hobbled.
Langerie: longing ; languor.
Lauch: laugh.
Lave, the lave: the rest, remainder, the others.
Laverock: lark.
Lea: to leave ; law ; justice.
Leal: loyal.
Leam: flash, flame ; shine.
Lear: knowledge, learning.
Lee: lie.
Lee-lang: live-long.
Leefullie: loveingly, affectionately.
Leerie: little (candle) flame.
Leid: language ; verse, poem ; line of argument.
Leman(rie): lover ; illicit love ; volupte.
Levin: lightning.
Ligg: lie.
Limmer: harlot, bitch.
Lintie: linnet.
Loo: love.
Loon: a lad, boy.
Loosum: affectionate, loving.
Lourd: heavy : depressed.
Lowan, Lown: quiet, calm ; abate, fall, be stilled & adjs.
Lowe: flame ; fire.
Lowp: jump, leap ; sudden quick movement; rush hither and thither.
Lowse: set free ; loosen ; loose.
Lug: ear.
Lum: chimney.
Lyart: grey ; old man.
Lyft: sky.
Lynn: ravine, waterfall, torrent.

M

Mae: wailing cry.
Maen: moan.
Maik: peer, match, equal.
Mahoun: the Devil.
Maistlike: probably.
Mappamound: map of the world, the globe.

Mauch: damp, dank, clammy, muggy.
Maun(na): must (not).
Mavis: thrush.
Maw: gull.
May: young girl, maiden.
Mell: mix, mingle ; interfere, meddle.
Mense: honour, decency.
Merle: blackbird
Min: mind.
Mind: remember, remind.
Mirk: darkness, gloom & adjs.
Mirlie: speckled, mottled, spotted.
Mistraucht: distraught.
Mools: the earth ; dust of the dead.
Moss: marsh; bog; moor.
Mou: mouth.
Mulder: crumble, go to dust.
Murle: crumble, moulder away.

N

Naukit: naked.
Neep: turnip.
Neb: nose.
Neist: next.
Neuk: corner, cranny, secret place.
Nor: than.

O

Ohn: without.
Onset: attack, assault.
Onwyte: wait with anticipation.
Oorie: weird, ghostly ; melancholy, dismal ; bleak, dank, chill.
Or: until, till, before.
Orra: unimportant, nondescript.
Outlan: outcast, outlaw (literally –without land).
Ower, Owre: too ; over.
Owreharl: suppress.
Owreset: overthrow.

P

Peerie: little, very small indeed.
Pent: paint.
Pit by: put away.
Ploy: game, trick ; deception, plan.
Poke : bag, sack, pocket.
Pree: experience, attain ; prove ; partake of, taste.
Pu: pull.
Puirtith: poverty.
Pyson: poison.

Q

Quaigh: goblet.
Quank : quake.

R

Raff: rank, rich.
Raik: wander about aimlessly.
Rair: roar.
Ramfoozled: topsy-turvy, disordered.
Rammage: frenzied, furious, violent.
Ramp: prance, stamp about.
Ramskeerie: restless, wild.
Ram-stam: headlong, at random, uncontrolled

Rankreengin: wild, lawless, crude.
Rant: roister, revel.
Rasch: bold, audacious, wild; strong and active.
Rauch: reach.
Raucle: headstrong, fearless, passionate.
Rauk: hoarse; foggy, misty.
Rax: wrench, rack; stretch.
Reid-wud: raging mad.
Reif, Reive: stray; snatch; rob, plunder.
Reik: smoke; tumult.
Remeid: redress, relief.
Reithe: ardent, passionate.
Reuch, Reugh: rough.
Rife: full of; abundant with.
Rigg: furrow.
Riggantree: roof.
Rood: the Holy Cross.
Rossignel: nightingale.
Rowth: plenty, abundance & adjs.
Runkle: wrinkle.
Runt: withered stump of a tree.

S

Sa(i)kless: innocent, blameless, simple.
Sair: wrong, injury, ill; great, severe, grievous; and advbs.
Sanct: saint.
Sark: shirt.
Sauf: safe.
Sauve: save.
Scarrie: rocky, precipitous.
Scart: scratch; scrape; tear.
Schene: bright, clear; beauty.
Schire: bright, clear, vivid; pure, unclouded.
Screich: shriek, scream, harsh cry.
Scrieve: write.
Scunner: disgust, loathing & vbs.
Seilfu: blissful, happy, blessed.
Ser: serve.
Shair: sure.
Shauchle: shuffle, stumble, shamble.
Sib: kindred, kind; related to.
Sicca(n): such a(n).
Siller: silver; money.
Sinsyne: since then, ago.
Skail: scatter, disperse, dismiss.
Skaith: wound, injury, wrong, hurt to mind or body.
Skalrag: vagabond, outcast.
Skau: state of ruin or destruction.
Skeer: shy away from.
Skime: gleam of reflected light, generally from wet surface.
Skimmer: shimmer, flutter, glitter.
Skitter: flicker; rush quickly from place to place; diarrhoea (in pl).
Skriddan: torrent.
Slaucher: befoul oneself by doing slimy work; to bedaub.
Slee: dexterous, skilful; cunning.
Slorp: guzzle (of liquids).
Smoor, smore: smother, choke, conceal.
Smouchteran: smouldering smokily.
Snaw-freiths: snowdrifts.
Snell: severe piercing cold; biting.
Sonsie: complacent, self-satisfied; buxom.

Soom: swim.
Souk: suck.
Speak: speech.
Spiel: climb; play games, (and nouns.)
Spier, Speir: ask, search, seek.
Spreit: spirit.
Stalk: funnel; chimney.
Stang: prick, sting, pierce.
Starn(ie): star.
Staucher: stagger.
Staun: stand.
Staw: to satiate, gorge, surfeit.
Steek: to close.
Steer: stir, disturb(ance), commotion.
Steerman: helmsman.
Stegh: glut; overeat.
Steichle: congest.
Steir: fat, gross.
Stern: see Starn.
Stew: heavy rain.
Stot: bullock; stagger, lurch; bounce.
Stound: stun, astound, baffle; throb, ache.
Stour: dust; quarrel, strife; bustle.
Stouthrife: robbery with violence.
Straik: stroke; streak, besmear.
Stramash: uproar, tumult.
Strauchle: struggle.
Stravaig: idle about, wander, pubcrawl.
Streek: stretch, extend; streak.
Strummle: stumble, straggle.
Sunner: divide forcibly; sunder.
Swaw: wave; roll (of water in wind).
Sweel: swirl, eddy (of water).
Sweir: swear; difficult, tedious.
Swick: cheat, deceive.
Swound: swoon, coma.
Syne: afterwards, since then.

T

Targat: tatter, rag, fragment.
Tash: soil, tarnish, spoil.
Teem: pour out, gush.
Thae: those.
Thie: thigh.
Thieveless: see Thowless.
Thir: these.
Thirl: enthrall, bind, enslave.
Thole: endure, bear, put up with.
Thort: across, over, beyond.
Thowless: spiritless, impotent, sterile.
Thrang: crowd; crowded, thick; to throng.
Thrapple: throat.
Thraw: throe; twist, writhe; contend, struggle.
Thrawn: stubborn, embittered; misshapen, twisted, distorted.
Til: to.
Tine: lose; perish.
Tinkler: tinker, gipsy.
Tirl: throb; make a thrilling, vibrating sound.
Toom: empty; deserted.
Tourbilloun: hurricane, tempest.
Traik: wander, struggle along; (and nouns.)
Traist: trust.
Traiterie: treachery, treason.
Trauchle: overwork; drudge; draggle on; trample over; dishevel.

Trummle: tremble.
Tuim: see Toom.
Tulyie: quarrel, broil.
Tummle: tumble; fall over and over.
Twalmonth: a year.

U

Ugsom: ghastly, foul.
Unco: very, extremely; remarkable, unreal, strange; prodigious, great; and advbs.
Upbreir: emphatic form of Breir, q.v.

V

Velvous: velvet.
Virr: spunk, spirit, guts, vigour.
Voar: spring.

W

Waa: wall.
Wae: grief, woe, and adjs.
Waesom: sorrowful, sad, melancholy.
Wame: belly, womb, stomach.
Wanhap: misfortune, distress.
Wanhope: hopelessness, despair.
Wantan: without.
Warssle: struggle, strive.
Watergaw: rainbow.
Wauk: wake.
Wauner: wander.
Waur: worse; something bad, an ill.
Wecht: weight.

Wee (bide a wee): wait a bit.
Weird: fate, destiny.
Weirdless: without destiny, impotent, hopeless, feckless.
Wersh(lie): bitter, raw, sour, tasteless and advbs.
Whaup: curlew.
Wheep: call of the curlew.
Whidd: pass quickly; scud, whisk by.
Whiles: sometimes, occasionally.
Whilk: which.
Whinner: rustle (of corn in a breeze).
Whitna: what kind of, whatever.
Whorl: whirl, swirl.
Whummle: destroy, overcome, cast down.
Widdrem(e): chaotic nightmare; scene of chaos and confusion.
Widna: would not.
Wreist: twist, torture.
Wreith: drift of snow, smoke or spray.
Wud: crazy, mad, furious (with anger, love, hate or drink).
Wuddrum: furious madness, passionate rage.
Wyce: wise, clever, sensible.
Wynd: narrow street, alley.

Y

Yatter: chatter, rattle on; incessant talk.
Yerd, Yerth: the earth, the land.
Yett: gate.
Yill: ale.
Yirdan-grun: cemetery.
Yont (ayont): beyond.

The Deevil's Waltz

SYDNEY GOODSIR SMITH

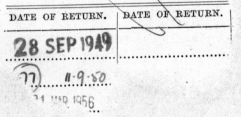